Avril-juin 1819
À bord de L'Argonaute

Journal de bord
de Lord Nathaniel Parker

Graphisme et mise en page : Isabelle Gibert

Adapté de La Fabuleuse découverte des îles du dragon,
texte original de Kate Scarborough, traduction française de Valérie Julia

© Editions Gründ pour l'édition française.
ISBN 978-2-218-92660-0
© Editions Hatier, Paris 2007.
Loi 49.956 du 16 juillet 1949 sur les publications destinées à la jeunesse.
Achevé d'imprimer par Clerc s.a.s. à Saint-Amand-Montrond - France
Dépôt légal : 92660-0/09 - février 2015

La fabuleuse découverte des
ÎLES DU DRAGON

TEXTE ORIGINAL DE KATE SCARBOROUGH
ADAPTATION FRANÇAISE DE VALÉRIE JULIA

ILLUSTRATIONS DE MARTIN MANIEZ

Avant-propos

Les pages de cet étonnant journal, écrit en 1819, sont les seuls témoignages d'une expédition entreprise par un lord anglais, Sir Nathaniel Parker.

Le navire l'*Argonaute* avait quitté Portsmouth, en Angleterre, en 1817, pour parcourir de nouvelles mers et étudier la faune et la flore de l'hémisphère Sud.

Les fabuleuses découvertes consignées par l'explorateur dans ce cahier sont uniques en leur genre. Les plantes et les animaux qu'il y décrit, et dont quelques spécimens feraient presque songer à des créatures de légende, n'ont jamais été rencontrés ailleurs.

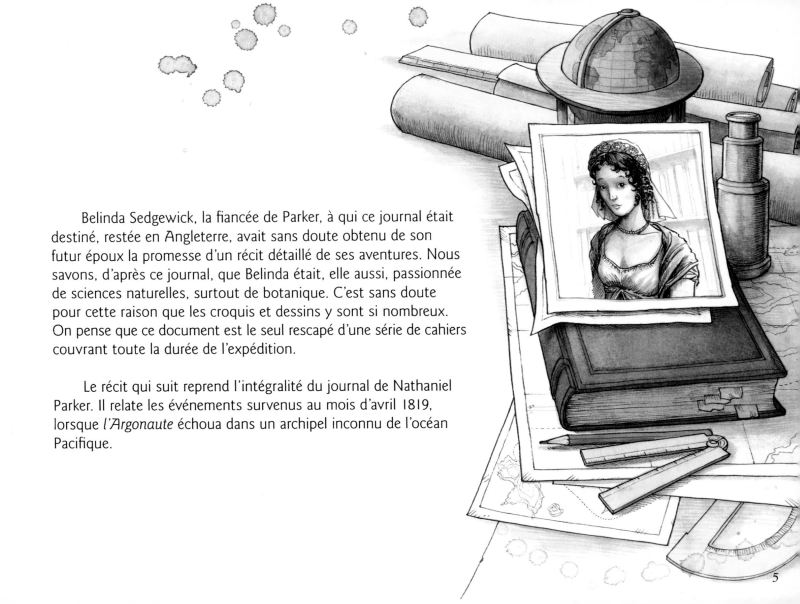

Belinda Sedgewick, la fiancée de Parker, à qui ce journal était destiné, restée en Angleterre, avait sans doute obtenu de son futur époux la promesse d'un récit détaillé de ses aventures. Nous savons, d'après ce journal, que Belinda était, elle aussi, passionnée de sciences naturelles, surtout de botanique. C'est sans doute pour cette raison que les croquis et dessins y sont si nombreux. On pense que ce document est le seul rescapé d'une série de cahiers couvrant toute la durée de l'expédition.

Le récit qui suit reprend l'intégralité du journal de Nathaniel Parker. Il relate les événements survenus au mois d'avril 1819, lorsque *l'Argonaute* échoua dans un archipel inconnu de l'océan Pacifique.

1er avril

Perdus ! Les terribles tempêtes de la semaine dernière nous ont poussés vers des îles quelque part dans le Pacifique. Malgré sa parfaite maîtrise des océans, le capitaine ne peut identifier la baie où nous sommes ancrés.
Mais il m'a assuré qu'il parviendrait bientôt à établir notre position ainsi que notre prochaine destination.

Au cours de ces tempêtes
diluviennes, notre navire gîtait
tant et si bien qu'à maintes reprises,
j'ai cru que je ne vous reverrais plus,
ma bonne amie.

Pour l'heure, le navire doit être caréné pour réparer les dégâts. La baie où nous avons trouvé refuge, baptisée par nos soins baie du Salut, est vaste et assez profonde. Elle est bordée d'une magnifique plage entourée de collines, et on aperçoit au loin des sommets volcaniques.

Dieu merci, il fait beau. Nous avons passé une semaine dans des vêtements humides. Quel bonheur de pouvoir enfin les sécher ! Par chance, nous n'avons pas perdu trop de provisions, et après une rapide excursion autour de la baie, M. Clifton, le médecin, et moi-même avons trouvé des arbres fruitiers en abondance.

Notre dernière position connue. J'ai recopié cette carte à partir des croquis du capitaine.

Croquis de l'île où nous nous trouvons, baptisée île de Parnell d'après le nom du marin qui l'a repérée le premier.

2 avril

Que d'aventures chère Belinda ! Et aussi que d'alléchants mystères !

Dès l'aube, nous nous mîmes en route, le capitaine, M. Clifton, M. Heron et moi-même, escortés de plusieurs marins, vers le sommet que j'avais aperçu de la baie.
Au début de notre marche, un vent chaud soufflait de l'est. Nous avions pour objectif d'établir notre position et de repérer d'autres régions à explorer.

Après une laborieuse ascension, nous arrivâmes sur un haut plateau, d'où le capitaine put aisément faire ses calculs.

Nous étions tout occupés à admirer le paysage, au nord,
lorsque soudain, un terrible grondement se fit entendre,
accompagné de jets de flammes venus d'on ne sait où.
Frappé de terreur, je m'écroulai au sol, sans pouvoir
identifier notre assaillant. En me relevant, je constatai
que le capitaine gisait sans connaissance, sévèrement
brûlé. Assisté de M. Clifton, je volai à son secours,
tout en redoutant un second assaut.

Impossible de s'expliquer l'origine de cet incident. La seule autre créature vivante dans les parages était un immense oiseau que nous vîmes piquer en direction de la vallée, à nos pieds. Préférant remettre notre enquête à plus tard, nous décidâmes de redescendre en toute hâte pour soigner le capitaine.

M. Clifton s'occupa aussi de nous, car nous avions tous de légères brûlures. Dieu merci, le capitaine était moins touché que nous ne l'avions pensé. Il se repose en ce moment. Il nous faudra être plus prudents à l'avenir. Il semblerait que, dans la panique, le capitaine ait égaré son sextant (celui que lui avait offert le capitaine Cook). Nous retournerons le chercher demain ; peut-être en saurons-nous plus sur cette aventure.

Ces créatures sont bien adaptées
à leur milieu aquatique.
Elles ressemblent à des rats,
mais possèdent un pelage analogue
à celui de la loutre, ainsi
qu'un double rang de cils, propre
aux animaux passant beaucoup
de temps sous l'eau.

Autre découverte renversante : un second groupe, parti
chercher de l'eau douce, tomba sur un charmant ruisseau
colonisé par des rats d'eau. M. Gilding leur trouva un air
peu commun, et il n'avait pas tort. En effet, ce rat d'eau-ci
est doté d'un long museau de musaraigne, de dents acérées
saillant de la mâchoire inférieure et de pattes palmées.
Rien moins ! Il s'agit sans aucun doute d'un mammifère,
bien qu'il soit à mi-chemin entre le brochet, le rat et la loutre.
Il n'est pas sans rappeler l'étonnant ornithorynque
que nous avons pu observer à la Société royale.

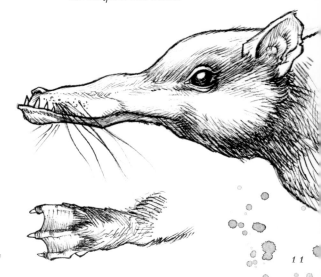

11

3 avril

À midi, cinq d'entre nous reprirent le chemin du sommet.
Nous avions décidé de nous séparer pour avoir plus
de chances de retrouver le sextant. Au bout de quelques
centaines de mètres, j'entendis deux coups de feu,
à notre droite. Nous nous précipitâmes dans cette direction,
et là, nous vîmes le matelot Kelly en train d'essayer
d'éloigner son camarade O'Keefe d'une plante
étonnamment odorante. Pour moi, elle dégageait l'odeur
de mon plat préféré, le ragoût de faisan, mais en fait
elle sentait pour chacun de nous un parfum différent,
notre parfum préféré. (Pour le matelot Martyn, c'était celui
des biscuits secs qu'on sert à bord et qui sont, je vous
le garantis, infects !)
Après avoir dégagé O'Keefe, nous découvrîmes
un bulbe d'où partaient de robustes racines. Ce bulbe
est rempli d'un liquide (à l'issue de plusieurs tests,
il s'avère que c'est une substance corrosive).

L'extraordinaire odeur est dégagée par le fruit qui trône tel un bijou au centre de la partie supérieure, protégé par un entrelacs de tiges épineuses. O'Keefe souffre maintenant d'une sorte d'urticaire causée par le suc de la plante. Celle-ci rappelle certaines plantes carnivores telles que la Dionaea muscipula et la Sarracenia flava, mais de proportions nettement supérieures.

Le suc de la plante plus ou moins concentré et son effet sur le papier.

De la plus faible concentration à la plus forte.

L'agencement globulaire des feuilles protège le fruit et sert aussi de piège. Les feuilles peuvent être enfoncées mais reprennent leur forme arrondie dès que la pression cesse.

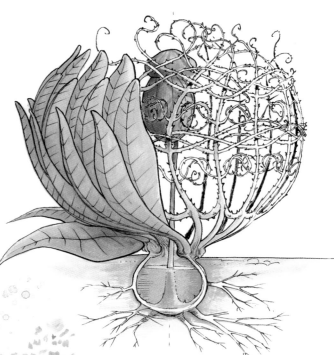

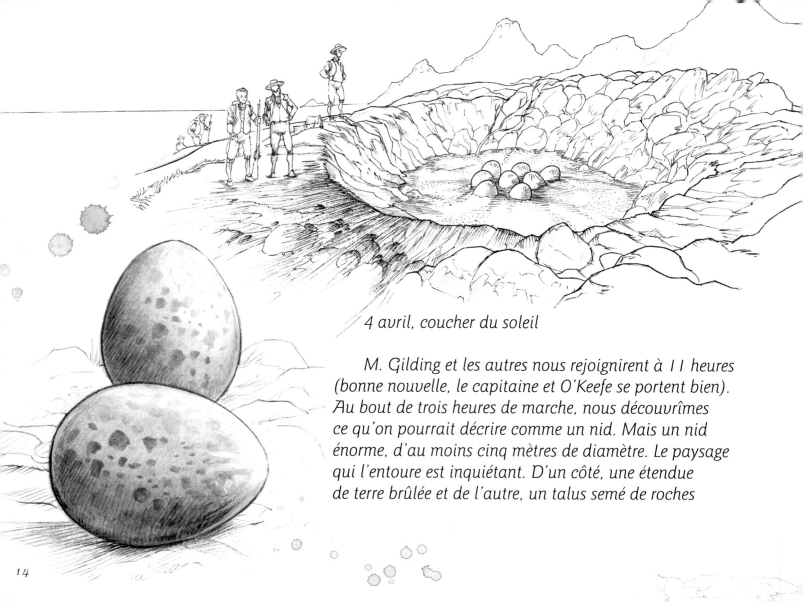

4 avril, coucher du soleil

M. Gilding et les autres nous rejoignirent à 11 heures (bonne nouvelle, le capitaine et O'Keefe se portent bien). Au bout de trois heures de marche, nous découvrîmes ce qu'on pourrait décrire comme un nid. Mais un nid énorme, d'au moins cinq mètres de diamètre. Le paysage qui l'entoure est inquiétant. D'un côté, une étendue de terre brûlée et de l'autre, un talus semé de roches et de galets luisants. Le trou est rempli de cendres douces et tièdes dans lesquelles sont blottis huit œufs énormes. Ils mesurent environ trente centimètres de long et sont profondément enfoncés, comme s'ils avaient été tirés d'un canon. Une fine pellicule superficielle s'en détache aisément, mais je parierais volontiers que la coquille est très épaisse. Au milieu des pierres du talus, M. Gilding a retrouvé le sextant qui scintillait dans la lumière du soleil. Je ne peux qu'en conclure que ce nid appartient à l'oiseau que nous avons aperçu il y a deux jours. Mais cet oiseau est-il vraiment si gros ? Cinq mètres… C'est à peine concevable. Les hommes commencent à s'impatienter, à se raconter des histoires de monstres sanguinaires. Ils sont étonnamment superstitieux. Pourquoi pas des dragons, aussi ? Nous sommes restés tout l'après-midi, embusqués à quelque distance du nid, au cas où un des parents surgirait. En vain. Il est temps d'installer un campement pour la nuit. Qui vivra verra.

Nous avons aperçu de grands oiseaux qui survolaient une île voisine, un peu plus au nord.

5 avril, le soir

Après une nuit calme, nous avons entrepris de retourner au camp dès l'aube, emportant avec nous trois œufs. Nous sommes rentrés par l'ouest de l'île, d'où nous dominions la crique voisine de la baie du Salut. Soudain, Martyn aperçut ce qu'il prit pour une baleine, à moitié enterrée dans le sable. Nous descendîmes au milieu des rochers pour y voir de plus près et, doux Jésus ! … il s'agissait d'un serpent de mer géant. Mort depuis peu, un jour peut-être, il semblait avoir été attaqué par une créature bien plus grande que lui (comment ne pas frémir ?).

Je ne saurais affirmer la longueur exacte de l'animal,
mais ce qu'il en reste atteint déjà plus de cent mètres.
Martyn n'avait pas tort de croire à une baleine. En effet,
sa bouche est dotée du même système de fanons destinés
à retenir le krill une fois l'eau recrachée. Le serpent est couvert
de blessures circulaires qui lui ont déchiré la peau
et de grandes entailles semblables à des morsures.
J'ai aussitôt pensé à une attaque de pieuvre et à l'effroyable
kraken, la pieuvre géante des légendes nordiques. J'espère
m'inquiéter à tort.

Le cuisinier a jugé la viande assez fraîche pour être
consommée.

Tout le monde dit que son goût rappelle l'anguille.
Bien sûr, je n'y ai pas touché.

Vous savez à quel point j'exècre l'anguille.

Ce que j'appelle les fanons
de ce serpent ressemblent
étonnamment à ceux des baleines.
Ils forment un filtre qui retient
la nourriture.

Les blessures du serpent ressemblent
à celles qu'aurait causées une pieuvre,
mais cent fois plus grandes.

17

7 avril

La journée d'hier, riche en émotions, ne m'a pas laissé le temps d'écrire. Nous sommes partis pour une expédition plus longue, vers le nord (en évitant la crique au serpent), pour gagner une autre île d'où il nous sera plus aisé d'observer le pic survolé par les grands oiseaux. Arrivés à la nuit tombée, nous aperçûmes dans le ciel des gerbes de feu, pour lesquelles je ne pus fournir d'explication.

Le matin nous apporta la réponse. Nous étions occupés à ramasser des brindilles pour allumer un feu lorsque, soudain, le matelot Savage poussa un cri strident. Visiblement choqué, il montrait du doigt une paroi rocheuse et là, nous vîmes pour la première fois le propriétaire du nid.

Pas un oiseau, non, mais un dragon, Belinda, un vrai
dragon ! L'animal déploya ses ailes et prit son envol
dans l'azur. Nous le regardions, pétrifiés. Puis il cracha
un torrent de flammes et piqua droit vers les eaux putrides
du lagon. Personne n'osait faire un geste. Seul Kelly
murmura : « Pour sûr que c'est un dragon, m'sieur ! ».
Nous n'en croyions pas nos yeux. Depuis, nous n'avons
pas bougé, et la nuit approche. Notre peur s'est calmée,
car les dragons (j'en ai compté quinze) préfèrent aller
chasser ou musarder au soleil.

Des gerbes de flammes,
accompagnées du fameux
grondement.

19

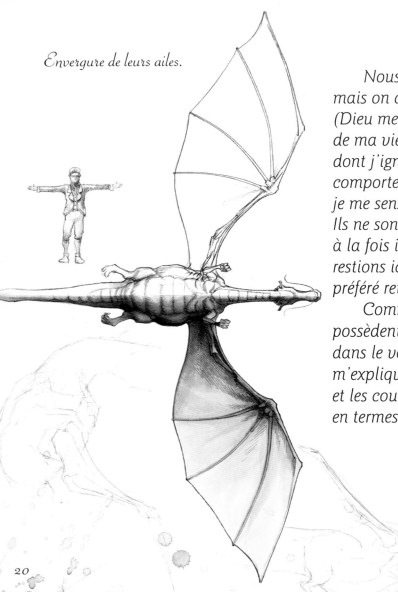

Envergure de leurs ailes.

Nous avons bien suscité leur curiosité, au début
mais on dirait que notre position les empêche d'approcher
(Dieu merci !). Cette journée est la plus mémorable
de ma vie. Quel bonheur ! Pouvoir observer des animaux
dont j'ignorais jusqu'à l'existence et étudier leur
comportement ! Ce soir, alors qu'ils regagnent leur nid,
je me sens presque de l'affection pour eux, mes dragons.
Ils ne sont pas féroces. Ils m'évoquent plutôt les vaches,
à la fois imposantes et dociles, j'ai insisté pour que nous
restions ici. Je suis bien persuadé que les autres auraient
préféré retourner au camp et revenir avec des renforts.

Comme toute notre troupe a pu l'admirer, ces dragons
possèdent une grâce et une aisance de mouvements
dans le vol. Les marins les ont observés, et ils ont pu
m'expliquer comment ils utilisent au mieux les vents
et les courants aériens. Savage décrit leur mouvement
en termes de navigation.

Pour se nourrir, ils écument
l'eau du lagon en quête d'algues.

Leurs ailes ondoyantes
sont presque translucides
dans la lumière du soleil.

Il dit qu'avec leurs ailes déployées, on a l'impression
qu'ils « tirent des bords, qu'ils louvoient, qu'ils filent vent
arrière » (je ne comprends toujours pas ces termes,
mais je lui fais confiance). Comme Savage le dit lui-même :
« Pareil que Le Victory de l'amiral Nelson. À part que lui,
il est jamais monté si haut. »

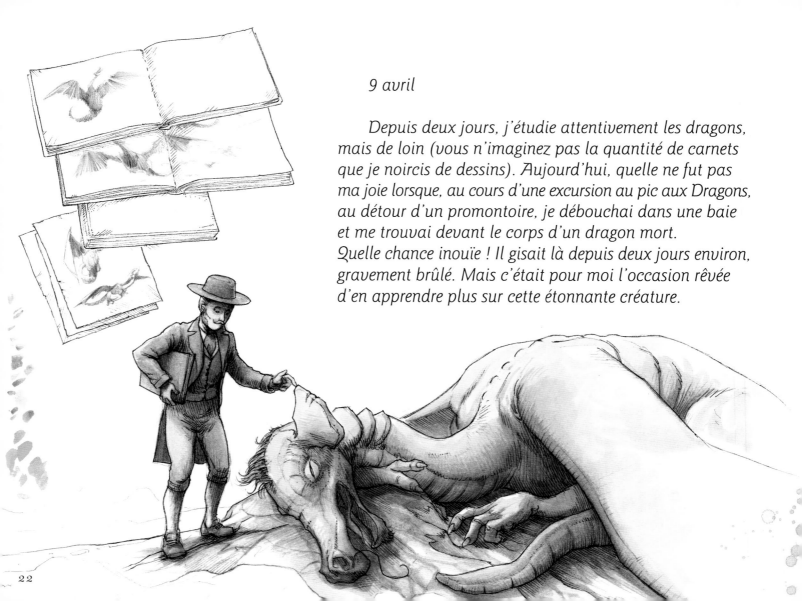

9 avril

    Depuis deux jours, j'étudie attentivement les dragons, mais de loin (vous n'imaginez pas la quantité de carnets que je noircis de dessins). Aujourd'hui, quelle ne fut pas ma joie lorsque, au cours d'une excursion au pic aux Dragons, au détour d'un promontoire, je débouchai dans une baie et me trouvai devant le corps d'un dragon mort.
Quelle chance inouïe ! Il gisait là depuis deux jours environ, gravement brûlé. Mais c'était pour moi l'occasion rêvée d'en apprendre plus sur cette étonnante créature.

Ce n'est qu'en l'approchant de si près que l'on peut apprécier la taille de la bête. Et l'on ne peut s'empêcher de se demander comment elle arrive à voler.

Comparé aux créatures vivantes qui volent au-dessus de nos têtes, ce corps a considérablement réduit de volume et sa peau est devenue comme un ballon dégonflé. J'en conclus que le dragon est essentiellement rempli d'une substance gazeuse plus légère que l'air et… inflammable, ce qui expliquerait les gerbes de feu.

Le dessin ci-dessus illustre la légèreté du crâne, dont la structure est réduite au minimum.

En examinant un morceau d'os, j'ai constaté à mon grand étonnement, que sa structure interne ressemblait à de l'éponge.
Pour autant que je puisse juger avec le peu de matériel dont je dispose, cette structure se retrouve dans tout le squelette alliant solidité et légèreté. Un miracle de la nature.

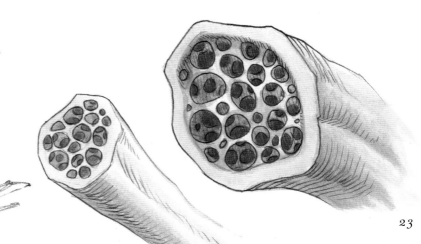

La pression de l'eau passant à travers les branchies compense le poids de la tête et l'empêche de couler.

La peau membraneuse est étonnamment résistante et imperméable, rendant la dissection d'autant plus malaisée.

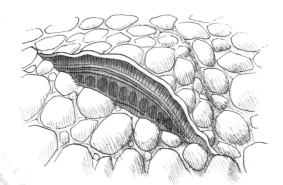

12 avril

Nous sommes toujours au même endroit et, au bout de quelques jours, je comprends un peu mieux les habitudes de ces créatures. L'emploi du temps des dragons, qui je pense, sont tous adultes, varie assez peu. Ils ne sortent pas au lever du jour, mais préfèrent attendre que le soleil ait réchauffé le ciel. C'est alors qu'ils partent se nourrir dans le lagon. Ils volent au ras de l'eau et y plongent la tête ici et là.

M. Heron, accompagné de quelques hommes, est parti en reconnaissance à la recherche d'autres colonies de dragons. Il semblerait qu'une grande île un peu plus au nord offre un certain nombre d'emplacements propices à leur développement. Toujours aucun signe de vie humaine dans cet archipel. Patience. Un jour peut-être rencontrerons-nous ses habitants. J'ai relevé quelques échantillons d'eau du lagon, une eau d'un vert boueux.

13 avril

M. Heron nous conduisit sur l'île qu'il avait repérée.
Nous approchions de la forêt lorsque, soudain,
les cieux s'emplirent de hurlements assourdissants,
et des formes sombres et menaçantes plongèrent vers nous.
Nous nous jetâmes à terre pour ne pas être blessés
par les griffes acérées des « bêtes féroces ». Frappés
de terreur, nous les vîmes se poser près de nous et encercler
notre groupe de leurs ailes déployées. Resserrant le cercle,
elles s'approchèrent en sifflant et crachant.

Comme le dragon, le griffon est remarquablement léger pour sa taille, avec une envergure proche de cinq mètres. Il ne pèse pas plus qu'un chien danois.

Un des marins, pris de panique, essaya de fuir mais fut jeté à terre. Dieu merci, M. Pearson Fenn eut la présence d'esprit de tirer avec son fusil sur le meneur. Je fis de même et, voyant leur chef mort, nos assaillants s'envolèrent aussitôt.

Les hommes ont transporté la carcasse jusqu'ici pour que je puisse l'examiner de près sans craindre une autre attaque. Il s'agit d'un griffon : un corps et des membres de lion, avec la tête et les ailes d'un aigle. Une splendeur. Moi qui croyais que de telles créatures n'existaient que dans les livres !

Pour divertir les hommes je leur racontai le mythe du griffon, une créature fantastique censée garder un prodigieux trésor. Je n'aurais pas imaginé que cette histoire redonnerait autant de courage aux hommes, qui se croient désormais lancés dans une chasse au trésor.

Les plumes des ailes se fondent dans le pelage du corps.

26

14 avril

Enfin les premiers signes de vie humaine sur cette île !
Voici quelques pierres taillées, trouvées par M. Heron
lors de son expédition. Il ne s'agit là que de fragments,
mais on y voit la forme d'un dragon s'élevant dans les airs,
reproduite comme un motif. Le tout est gravé entre
les rayons d'une roue, à moins qu'il ne s'agisse des rayons
du soleil. Est-ce là la trace d'une civilisation disparue ?
Les graveurs de ces pierres vivent-ils encore ici ?
Sommes-nous épiés tandis que nous explorons ces terres ?

*La plupart de ces tablettes
sont en trop mauvais état
pour être reconstituées.
Voici les mieux conservées.*

15 avril, le soir

    Au petit matin, mon sommeil fut troublé par
un vacarme provenant de la plaine. Je rampai jusqu'à
la lisière de la forêt, redoutant un nouveau face-à-face
avec quelque bête féroce. Là, je vis passer au galop
un immense troupeau de radieuses créatures. Des licornes,
Belinda, me croirez-vous ? Il devait y en avoir au moins
cent. Elles sont éclatantes, d'un blanc éblouissant.
Mais contrairement aux licornes des légendes, elles sont
bien plus petites qu'un cheval. Elles ne mesurent pas plus
de sept paumes, mais elles ont une élégance et une grâce
de pur-sang. Leur corne n'est pas longue et droite,

mais large et recourbée et, comme j'ai pu le constater par la suite, elle a une fonction très utile. Nous voulions suivre le troupeau, mais la présence des griffons était plus que jamais menaçante. Restés à l'abri des arbres, nous fûmes témoins d'une attaque qu'ils lancèrent contre les licornes. Deux griffons parvinrent à blesser une des licornes.

Quant à nous, nous avons encore du mal à prendre la mesure de ce que nous venons de voir : une bataille entre des créatures dont tout esprit sensé nierait l'existence. Rendez-vous compte ! Des licornes attaquées par des griffons…

La corne de la licorne ressemble plus à celle d'un rhinocéros. Chez certaines, elle est brisée. Sans doute lors d'un combat contre un griffon.

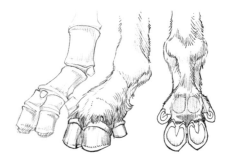

Ces ongulés possèdent un nombre de doigts pair. Sont-ce pour autant des artiodactyles ?

29

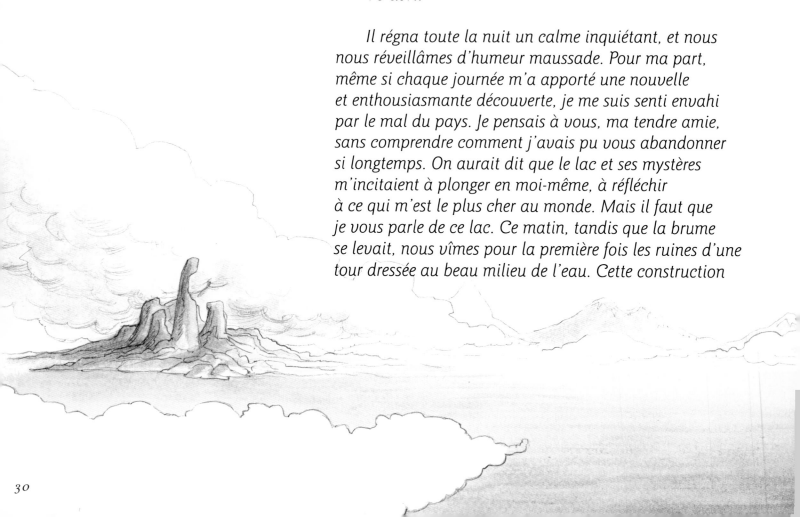

16 avril

Il régna toute la nuit un calme inquiétant, et nous nous réveillâmes d'humeur maussade. Pour ma part, même si chaque journée m'a apporté une nouvelle et enthousiasmante découverte, je me suis senti envahi par le mal du pays. Je pensais à vous, ma tendre amie, sans comprendre comment j'avais pu vous abandonner si longtemps. On aurait dit que le lac et ses mystères m'incitaient à plonger en moi-même, à réfléchir à ce qui m'est le plus cher au monde. Mais il faut que je vous parle de ce lac. Ce matin, tandis que la brume se levait, nous vîmes pour la première fois les ruines d'une tour dressée au beau milieu de l'eau. Cette construction

a dû être splendide. Quelle mystérieuse civilisation a bâti
cette tour ? Quels hommes ont réussi à vivre en harmonie
avec les créatures de ces îles ? Et que sont-il devenus ?
Assis sur la rive, incapable de trouver une réponse
à ces questions, j'enrageais de ne pouvoir traverser le lac
pour aller explorer les ruines.

Cette tour a dû être imposante.
C'est un cylindre d'une grande simplicité.
Trois dragons la survolent du matin au soir
et s'y perchent de temps à autre.

J'ai baptisé ces dragons «Ignispiritus volucer», cracheurs de feu ailés.

Au bout de deux semaines, les dragonneaux ont commencé à éprouver leurs ailes. Pour l'instant, ils offrent un spectacle plutôt cocasse.

18 avril, le soir, de retour au camp

Nous quittâmes l'île aux Licornes tôt ce matin, le cœur léger. À notre arrivée, ce soir, on nous apprit que les trois œufs de dragon rapportés de notre précédente expédition avaient éclos juste après notre départ. M. Clifton a aidé à la naissance. Il a relevé en détail les différentes étapes de l'éclosion pour m'en faire part. Les trois jeunes dragons ont survécu. Ils sont devenus la coqueluche

de l'équipage. M. Clifton m'a raconté que les hommes avaient essayé de les nourrir de toutes sortes de morceaux de choix, mais sans succès. Les dragonneaux (c'est ainsi que tout le monde les appelle) sont tout à fait capables de se nourrir tout seuls, d'insectes, et surtout de scarabées. Cela n'empêche pas les hommes d'équipage de chasser les insectes pour eux, me fournissant par la même occasion une source inépuisable de spécimens à étudier. Il existe sur cette île une diversité d'invertébrés impressionnante, comme j'ai déjà pu le constater avec une araignée à dix pattes.

J'ai l'intention de rester ici les prochains jours, pour observer les dragonneaux. Ils se distinguent des adultes, car ils sont insectivores et ne peuvent encore ni voler ni cracher du feu.

Trois ailes !
Plus rien ne m'étonne…

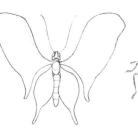

22 avril (après un terrible tremblement de terre)

*Oh, Belinda, le soleil brille à nouveau et Dieu
s'est montré clément. Les nouvelles sont bonnes.
À l'aube, Tincknell a aperçu les dragonneaux que nous
avions perdus. Ils se dirigeaient vers notre campement.
Ils étaient accompagnés d'un groupe de femelles avec leur
progéniture. Cela m'a fourni une occasion rêvée
de comparer les dragonneaux avec leurs frères aînés
et d'en déduire les étapes de leur évolution.*

*Entre nos dragonneaux
et leurs frères aînés,
il y a essentiellement
une différence de taille.*

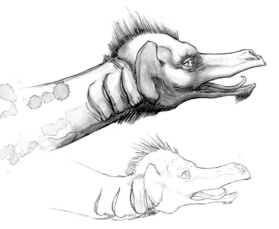

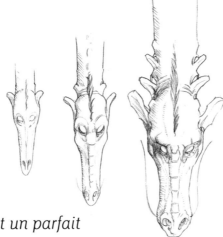

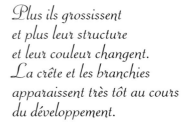

Apparemment, ces adolescents sont un parfait compromis entre leurs frères cadets et leurs parents. Ils commencent à se doter des branchies filtrantes grâce auxquelles ils se nourrissent dans le lagon du pic aux Dragons. Parallèlement, ils continuent à attraper les insectes en vol. La résultante de ce changement d'alimentation est qu'ils sont désormais capables de cracher du feu à la manière de leurs parents. De même, leur corps commence à se remplir de ces poches d'air si caractéristiques du dragon adulte. Je n'ai hélas aucun moyen de calculer en combien de temps le dragonneau atteint l'âge adulte, d'autant que le capitaine semble vouloir quitter l'île le plus tôt possible.

Plus ils grossissent et plus leur structure et leur couleur changent. La crête et les branchies apparaissent très tôt au cours du développement.

23 avril

Mes craintes concernant le kraken se sont hélas confirmées. Nous avons effectivement vu une pieuvre géante autour de l'Argonaute. Ce matin, alors que nous étions lentement remorqués hors de la baie du Salut, il nous sembla que le navire s'échouait. Les matelots eurent beau ramer, ils ne parvinrent pas à nous dégager de ce que nous prîmes tout d'abord pour un banc de sable. Lorsque notre navire se mit à tanguer doucement, il me sembla qu'il fallait chercher ailleurs l'origine de cet incident. Mais lorsque les secousses s'intensifièrent, que d'immenses tentacules commencèrent à s'agiter de part et d'autre du navire, précipitant sur le pont

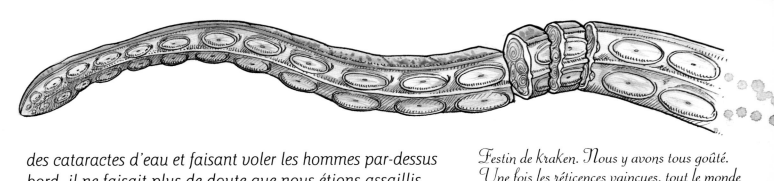

des cataractes d'eau et faisant voler les hommes par-dessus bord, il ne faisait plus de doute que nous étions assaillis par un kraken. M. Heron fit preuve d'un grand courage en menant les hommes à l'assaut du monstre marin. Par leurs coups répétés, ils parvinrent à lui faire lâcher prise.

À vrai dire, M. Heron alla jusqu'à sectionner un de ses tentacules. Par la suite, j'ai constaté que les ventouses avaient exactement la même taille que les blessures du serpent de mer. Pour l'avancée de mes recherches, je serais enchanté de revoir le kraken, mais je saurai me contenter d'un seul tentacule.

Festin de kraken. Nous y avons tous goûté. Une fois les réticences vaincues, tout le monde s'accorda à dire que c'était exquis.

37

24 avril, le matin

J'ai passé une partie de la matinée à étudier ma collection de spécimens et à prendre quelques notes. Vous ne pouvez imaginer, chère Belinda, l'énorme travail que j'ai pu fournir ces derniers temps. Lorsque je considère toutes mes découvertes, je ne peux que m'émerveiller des complexités du monde naturel. Et en même temps, que d'intéressantes coïncidences ! Tenez, les grands oiseaux coureurs que j'ai rencontrés. Ils rappellent, dans une énième variation, les nandous d'Amérique du Sud et les casoars de Nouvelle-Guinée. Qu'il est étrange de trouver de telles ressemblances chez des animaux aussi éloignés géographiquement. J'ai pu constater que les rats de ces îles se partagent en une multitude d'espèces. Comme s'il y en avait une pour chaque milieu naturel. Cela explique que je ne vous aie pas dessiné la totalité des spécimens rencontrés. Les rats d'eau avec leurs pattes palmées, le rat-cochon avec son groin et ses défenses, le rat volant avec ses ailes membraneuses… À eux seuls, ils font l'objet de plusieurs carnets de dessins. Et ce ne sont pas des cas isolés.

Cette brave bestiole vit en larges colonies et prolifère dans tout l'archipel. Elle ne mesure que vingt centimètres de haut.

24 avril, le soir

    Brett, du haut du poste de vigie, a aperçu quelque chose à l'horizon. Une voile. Nous essayons en ce moment de la rattraper.

    Comme j'aimerais pouvoir rencontrer les habitants de cet archipel merveilleux ! Je remonte sur le pont pour suivre les événements de plus près.

C'est au crépuscule que nous approchâmes du vaisseau. Nous pûmes en distinguer quelques détails. Ses voiles étaient décorées des mêmes inscriptions que celles des murs près de la tour en ruines. Mais il se passa alors une chose étrange : comme nous n'étions plus qu'à quelques toises, le navire disparut.

Voici d'autres tablettes trouvées sur l'île aux Licornes. Je les reproduis ici pour en garder une trace, car l'air de la mer leur semble néfaste. Cette énigme me hante. Ces tablettes me rappellent ces hiéroglyphes dont j'ai vu des reproductions.

Post-Scriptum

Le journal s'arrête brusquement ici. Dans l'original, les dernières pages ont été déchirées et n'ont jamais été retrouvées. On pense que ce récit tenait sur neuf cahiers, tous destinés à Belinda Sedgewick. Celui-ci serait le sixième ou le septième de la série. Outre ce journal, Parker aurait aussi rempli un certain nombre de carnets où il décrit plus scientifiquement la faune et la flore découvertes au cours de ces deux années. Il s'agit de planches anatomiques assorties de notes sur la structure et le comportement des créatures qu'il a observées pendant ce voyage. C'est une grande perte pour la connaissance humaine de ne pouvoir étudier ces cahiers, ainsi que les échantillons méthodiquement rassemblés par Parker.

Mais qu'est devenu le journal de bord du navire ? On ignore où se rendait l'*Argonaute* en quittant les îles du Dragon, mais on sait qu'il ne rentra hélas jamais au port. Il coula au large des côtes chinoises. Nathaniel fut un des rares survivants. En 1825, Parker soumit ses découvertes à la Société royale. Là, il constata avec horreur qu'il était la risée et l'objet des sarcasmes de toute l'assemblée. Ne pouvant se résigner au silence, il revint plusieurs fois présenter ses découvertes, mais sans succès. Tourné en dérision et méprisé par ses pairs, il finit désavoué par la société, qui ne voyait en lui qu'un fou.

43

Glossaire

Ce glossaire contient des termes de marine et de sciences naturelles, les noms de créatures fabuleuses, ainsi que des noms propres. En outre, il rappelle le sens premier de certains mots qui, sous la plume de Nathaniel Parker, homme du XIX⁰ siècle, sont à prendre au sens fort.

ARCHIPEL : groupe d'îles.

ARTIODACTYLES : sous-ordre des mammifères ongulés (voir ce mot) renfermant des animaux qui reposent sur le sol par un nombre pair de doigts (moutons, cerfs, chèvres…).

CARÉNER : hisser un bateau au sec pour le nettoyer ou le réparer (la carène étant la partie immergée de la coque).

CATARACTE : chute d'eau dans un fleuve. Ici, c'est une image pour désigner les quantités impressionnantes d'eau qui se déversent avec violence et fracas sur le pont.

CLASSIFIER : répartir en groupes ou classes. Au XVIII⁰ siècle, le botaniste suédois Carl von Linné entreprit l'une des premières classifications du monde animal et végétal.

COOK, capitaine James (1728-1779) : grand explorateur anglais. Entre 1768 et 1776, il mena à bien trois expéditions

dans l'hémisphère sud,
au cours desquelles il découvrit
la Nouvelle-Zélande et
l'Australie.
Il fut tué en 1779 à Hawaï
au cours d'un affrontement
avec les habitants de l'île.

Corrosif : qui a la propriété
de détruire progressivement
par une action chimique.

Diluvienne : appliqué à la
pluie, ce mot signifie «très
abondante» (il fait référence
au déluge qui, dans la Bible,
précéda l'alliance avec Noé).

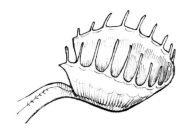

Dionaea muscipula : nom
latin d'une plante carnivore
communément appelée
la «dionée», qui se nourrit
d'insectes.

Dissection : action de
découper en morceaux
un animal ou une plante
afin d'en étudier la structure
interne.

Embusquer (s') : attendre
dans une cachette pour
attaquer par surprise.

Fanon : lame en corne
qui garnit transversalement
la gueule de certains animaux
marins, notamment de la baleine.

Filer vent arrière : terme
de navigation signifiant
que le navire avance avec
la grand-voile perpendiculaire
à la coque, dans le sens du vent.

Gîter : un bateau gîte lorsqu'il
s'incline sur un bord.

Inflammable : qui peut
s'enflammer rapidement et brûler.

Invertébré : animal sans
colonne vertébrale, comme
les insectes, les araignées,
les mollusques, etc.

KRAKEN : monstre marin fabuleux, issu des légendes scandinaves. On raconte que cette pieuvre géante attaquait les navires.

KRILL : banc de crustacés de l'espèce *Euphausia superba*, dont se nourrissent les baleines.

LOUVOYER : terme de marine signifiant naviguer en zigzag, à gauche puis à droite de la route, pour exploiter au mieux un vent contraire (voir «tirer des bords»).

MEMBRANEUX : décrit un matériau organique fin et souple.

ONGULÉS : se dit des animaux dont les pieds sont terminés par une matière cornée, comme le cheval, le rhinocéros, l'éléphant (voir «artiodactyles»).

ORNITHORYNQUE : mammifère d'Australie à bec de canard, à longue queue plate, aux pattes palmées munies de griffes qui vit sur terre et dans l'eau et pond des œufs.

PAUME : ancienne unité servant à mesurer les chevaux (environ dix centimètres).

PROMONTOIRE : pointe de relief élevé s'avançant en saillie au-dessus de la mer.

PUTRIDE : qui contient des matières organiques en décomposition, d'où une forte odeur.

SARRACENIA FLAVA : nom latin de la sarracénie, plante mangeuse d'insectes. Ses victimes, par l'odeur alléchées, tombent dans un réceptacle en forme de vase.

SERPENT DE MER : créature mythique vivant sous les eaux, de tout temps, les récits de marins en ont fait mention, et plus particulièrement aux XVIIe et XVIIIe siècles.

SEXTANT : instrument permettant de mesurer l'angle d'un astre au-dessus de l'horizon. Il est composé d'un sixième de cercle gradué. C'est avec un sextant que les marins « font le point ».

SOCIÉTÉ ROYALE : fondée en 1660, en Angleterre, elle avait pour mission de promouvoir la pensée et le progrès scientifiques. Nathaniel Parker en était membre. De semblables sociétés existaient également dans d'autres pays d'Europe, notamment en France.

TIRER DES BORDS : terme de navigation, signifiant changer l'itinéraire d'un navire en modifiant la position des voiles.

URTICAIRE : éruption passagère de très petits boutons accompagnée de démangeaisons et d'une sensation de brûlure (comme c'est le cas avec les piqûres d'ortie).

Chronologie

1790   Naissance de lord Nathaniel Parker, héritier du domaine de Saltmarshe.

1817   L'Argonaute part explorer le vaste monde.

1819   L'Argonaute échoue sur les îles du Dragon.

1825   Nathaniel présente ses découvertes à la Société royale.

1839   Mort de Belinda, comtesse de Saltmarshe.

1840   Lord Nathaniel embarque à bord de L'Odyssey. Il ne reviendra jamais.